清康熙十八年本

芥子園畫譜

第一集 卷一 金陵沈心友刊

中國古代畫學圭臬——

《芥子園畫譜》

《芥子園畫譜》，又稱《芥子園畫傳》，是清代木版彩色套印版畫中最傑出的作品，也是清刊畫譜中惟一可與明刊《十竹齋書畫譜》相媲美的佳構。

芥子園築於南京，是清初戲曲作家李漁的一座小型私家園林。李漁之婿沈因伯以先世所遺明末畫家李流芳所繪冊頁四十三幅爲基礎，請畫家王概增輯編次，『迄今三易寒暑，始竣其事』。李漁展閱把玩，『不禁擊節

有觀止之嘆』，認爲『有是不可磨滅之奇書，而不以公世，豈非天地間一大缺陷事哉！急命付梓，俾世間愛山水者，皆有山水之樂，不必居畫師之名而已得虎頭之實』。這就是《芥子園畫傳》刻板行世緣起及得名之由來。

《芥子園畫傳》全書四集，並非一次印成，李漁『急命付梓』的僅爲初集四卷，刊成於清康熙十八年(公元1679年)，亦即王概據李流芳所繪增益而成的本子。王概，字安節，浙江秀水(今嘉興)人，久居金陵，山水

學龔賢，善繪大幅及松石。以山水畫名家摹繪此譜，它的藝術價值是不言自明的。《芥子園畫傳》初集首卷爲文字，分畫學淺説與設色各法兩部分，卷二爲樹譜，卷三爲山石譜，卷四爲人物屋宇譜，都是圍繞山水畫這一主題展開的，是以『形』來傳授山水畫技法的集大成之作。這也是中國古版畫史上第一部彩色套印的專題山水畫譜。

至康熙四十年（公元1701年），是時李漁已謝世，『芥子園業三易主』，距初集刊成已過去了二十二年，

已是時過境遷了。但『是編（指初集）遐邇爭購如故』，『且復宇內嗜者，盡跂首望問有二編者否』，於是『沈因伯乃出其翁婿藏花卉蟲鳥，名雋諸作，素若牛腰』，誠邀王概與其弟王蓍、王臬『重理舊緒』、『經營臨寫』。王蓍字宓草，山水得黃公望筆意，花卉、翎毛皆精善，與王概齊名，時人喻之以元方、季方；王臬字司直，又字汝陳，詩、畫、治印擅名當時，兄弟三人，咸爲一時名家。

《芥子園畫傳》二集共八卷，蘭、竹、梅、菊譜

各兩卷，在輯録、摹繪過程中，并請錢塘畫家諸昇(字曦庵)、王質(字蘊庵)襄助其事。《芥子園畫傳》三集亦梓於康熙四十年，由王氏三兄弟摹繪。是集四卷，卷一、卷二爲草蟲花卉譜；卷三、卷四爲翎毛花卉譜。花卉譜名稱雖同，内容則異，前者叙草本花卉，後者叙木本花卉。卷末附沈因伯撰集《設色諸法》，詳述石青、石緑、硃砂、泥金、雄黄、胭脂等諸色顔料特性及使用方法。

這樣一部涵括山水、花卉、翎毛諸體的畫譜集大成之作，王氏兄弟畫學的廣博是一個重要的保證。就如余椿爲《梅譜》撰序稱：『有圖畫以來，代有名家，世多奇筆，然不過擅一長，精一技而已，未有如秀水王先生三昆季，抱筆墨之絶技有如此者。……山水譜實三先生成之，刊行已久，世之山人墨士獲之如暗室一燈，已大有裨於後進矣！乃於莫愁湖邊，唫眺之暇，復集翎毛、草蟲、花卉譜若干卷。噫！非抱筆墨之全技者，能若是邪？』這個評語已經到了無以復加的高度，但以畫傳涵括之廣博來看，王氏三兄弟是當之無愧的。

《芥子園畫傳》中由沈因伯主持，王氏兄弟總其成，刊行於清康熙年間的本子，只有上述初、二、三集。所謂『四集』刊行於清嘉慶二十三年（公元1818年），去《畫傳》二、三集鏤版已近百年，兩者之間無論刊行時代、刊行者、摹刻者都沒有任何干涉，實則《四集》僅是後人繪制的一部畫譜別本。《四集》四卷，首卷爲丁皋撰《寫真秘要》，卷二爲《僊佛圖》，卷三爲《賢俊圖》，卷四爲《美人圖》，末附《圖章會纂》。丁皋，字鶴洲，丹陽人，出身於丹青世家，世代皆擅

肖像，其所撰《寫真秘要》，剖析詳明，頗多創見，爲習寫真者導迷津，闢蹊徑，很有意義。畫譜部分則多據舊本摹刻，少有新意。《僊佛圖》基本採録自明刊《僊佛奇踪》、《泰興王府畫法大成》；《賢俊圖》多與《晚笑堂畫傳》諸本雷同；《美人圖》似曾相識者亦伙，和《畫傳》前三集吮毫濡墨，點染歷代名家佳作於尺幅，而又能令人耳目一新，是有高下之別的。但因《芥子園畫傳》前三集無人物譜，《四集》的選材正可補其所闕，使其在題材方面成爲完璧，還是有一定價值

的。後世翻刻、影印《芥子園畫傳》，多採入第四集，認可了它作爲《畫傳》續刊本的地位。《四集》由蘇州小西山房合前三集一併梓行，無彩色套印圖畫，繪鐫尚稱精審，在版畫藝術不振的嘉慶朝，尚稱佳構。

《芥子園畫傳》的鐫刻施印，也是殫精竭慮、達於極致的，每一幅都是窮極人事而奪天工的佳作。其中的單色墨綫圖畫，刀刻纖勁平穩，極富變化，鐫刻技藝之純熟，已足以令人稱絶。大量的彩色套印版畫，畫面之繁複、色彩之豐富、明麗，即便比之《十竹齋書畫譜》，

也是毫不遜色的。《畫傳》中的每一幅作品，都是費盡心力的佳作，是可以與絹素紙張上的手繪作品等量齊觀的珍玩，它的藝術價值絶非用『刻本』、『畫譜』這樣的詞彙所能涵括的。

《芥子園畫傳》行世後，數百年來廣受大衆歡迎，影響之大，是超過了《十竹齋書畫譜》的。其根本原因，就在於它爲初涉畫事者提供了一部完備、詳盡、由淺入深的畫學教科書，這也恰恰是《畫傳》編繪者的初衷。學畫可以以譜爲師，豈不令人心動？這樣一部傳千

古不傳之秘的、百科全書式的畫法全書，習畫者趨之若鶩，是毫不奇怪的。

《畫傳》所附大量彩色套印的歷代名家名作，更是具有非凡價值的。在當時那個時代，此類作品或藏於金匱石室，或爲私家珍秘，等閑難得一見，更不用説對坐臨摹了。《畫傳》影刻此類作品數以百計，使人飢目得飽，又多了可資借鑒研習的範本，對學畫者來説意義之重大，是不言自明的。此外《畫傳》刻印精良，色彩絢麗，務以傳原作之神韻爲要，即使不善繪事亦不欲習畫

芥子園畫譜 序 三

者，也可收卧遊之樂，有很高的觀賞價值。從《畫傳》自梓行迄今代有翻刻，各種刻本、印本若匯爲一處，幾可充盈鄴架，余椿所言是不虚的。《芥子園畫傳》和《十竹齋書畫譜》，都是中國古代彩色套印版畫中的光輝典範。

周心慧

二〇〇二年七月十日

序

今人愛眞山水與畫山水無異也當其屏幛列前幀冊盈几面彼崢嶸遐曠峰翠欲流泉聲若答時而烟雲晻靄時而景物清

和宛然置身於一丘一壑之間不必蠟屐扶筇而已有登臨之樂獨是觀人畫猶不若其自能畫人畫之妙從外入自畫之妙由心出其所契於山水之淺深

必有間矣余生平愛山水但能觀人畵而不能自爲畵間嘗舟車所至不乏摩詰長康之流降心問道多蹙額曰此道可以意會難以形傳子甚爲不解今一

病經年不能出遊坐卧斗室[illegible]絕人事猶幸湖山在我几席寢食披對頗得卧遊之樂因署一聯云盡收城郭歸簷下全貯湖山在目中獨恨不能爲之寫照

以當枚生七發因語家倩因伯曰繪圖一事相傳久矣奈何人物翎毛花卉諸品皆有寫生佳譜至山水一途獨泯泯無傳豈畫山水之法洵可意會不可形

傳耶抑畫家自秘其傳不以公世耶因伯遂出一册謂予曰是先世所遺相傳已久予見而奇之細爲玩賞委曲詳盡無體不備如出數十人之手其行間標

釋書法多似吾家長蘅手筆及覽末幅得李氏家藏及流芳印記益信爲長蘅舊物云但此係家藏秘本隨意點染未有倫次難以啓示後學耳因伯又出一

帙笑謂予曰向居金陵芥子園時已囑王子安節增輯編次久矣迄今三易寒暑始獲竣事予急把玩不禁擊節有觀止之嘆計此圖原帙凡四十三頁若爲

分枝若爲點葉若爲巒頭若爲水口與夫坡石橋道宮室舟車瑣細要法無不畢具安節於讀書之暇分類彷摹補其不逮廣爲百三十三頁更爲上窮歷代

近輯名流彙諸家所長得全圖四十頁爲初學宗式其間用墨先後渲染濃淡配合遠近諸法莫不較若列眉依其法以成畫則向之全貯目中者今可出之

腕下矣有是不可磨滅之奇書
而不以公世豈非天地間一大
缺陷事哉急命付梓俾世之愛
真山水者皆有畫山水之樂不
必居畫師之名而已得虎頭之

實所謂咫尺應須論萬里者其
爲臥遊不亦遠乎
時
康熙十有八年歲次己未長至
後三日湖上笠翁李漁題於

吳山之層園

芥子園畫譜 卷一

芥子園畫傳卷之一目錄

青在堂畫學淺說

鹿柴氏曰論畫或尚繁或尚簡繁非也簡非也或謂之易或謂之難難非也易亦非也或貴有法或貴無法無法非也終於有法更非也惟先矩度森嚴而後超神盡變有法之極歸於無法如顧長康之丹粉灑落應手而生綺草韓幹之乘黃獨擅請畫而來神明則有法可無法亦可惟先埋筆成塚研鐵如泥十日一水五日一石而後嘉陵山水李思訓屢月始成吳道元一夕斷手則曰難可曰易

亦可惟胸貯五岳目無全牛讀萬卷書行萬里路馳突董巨之藩籬直躋顧鄭之堂奧若倪雲林之師右丞山飛泉立而爲水淨林空若郭恕先之紙鳶放線一掃數丈而爲臺閣牛毛繭絲則繁亦可簡亦未始不可然欲無法必先有法欲易先難欲練筆簡淨必入手繁縟六法六要六長三病十二忌益可忽乎哉

六法

南齊謝赫曰氣運生動曰骨法用筆曰應物寫形曰

隨類傅彩曰經營位置曰傳摸移寫骨法以下五端可學而成氣運必在生知

六要六長

宋劉道醇曰氣運兼力一要也格制俱老二要也變異合理三要也彩繪有澤四要也去來自然五要也師學捨短六要也麤鹵求筆一長也僻澁求才二長也細巧求力三長也狂怪求理四長也無墨求染五長也平畫求長六長也

三病

宋郭若虛曰三病皆係用筆一曰板板則腕弱筆癡全虧取與狀物平褊不能圓渾二曰刻刻則運筆中疑心手相戾向畫之際妄生圭角三曰結結則欲行不行當散不散似物滯礙不能流暢

十二忌

元饒自然曰一忌布置迫窘二遠近不分三山無氣脉四水無源流五境無夷險六路無出入七石只一面八樹少四枝九人物傴僂十樓閣錯雜十一滃淡

失宜十二點染無法

三品

夏文彥曰氣運生動出於天成人莫窺其巧者謂之神品筆墨超絕傳染得宜意趣有餘者謂之妙品得其形似而不失規矩者謂之能品

鹿柴氏曰此述成論也唐朱景真於三品之上更增逸品王休復廼先逸而後神妙其意則袒於張彥遠彥遠之言曰失於自然而後神失於神而後妙失於妙而成謹細其論固奇矣但画至於神能

事已畢豈有不自然者逸則自應置三品之外豈可與妙能議優劣若失於謹細則成無非無刺媚世容悅而爲画中之鄉愿與媵妾吾無取焉

分宗

禪家有南北二宗於唐始分画家亦有南北二宗亦於唐始分其人實非南北也北宗則李思訓父子傳而爲宋之趙幹趙伯駒伯驌以至馬遠夏彥之南宗則王摩詰始用渲淡一變鈎斫之法其傳爲張璪荆浩關仝郭忠恕董源巨然米氏父子以至元之四大

家亦如六祖之後馬駒雲門也

重品

自古以文章名世不必以画傳而淡於繪事者代不乏人茲不能具載然不惟其画惟其人因其人想見其画令人亹亹起仰止之思者漢則張衡蔡邕魏則楊修蜀則諸葛亮（亮有南蠻圖以化俗）晉則嵇康王羲之王廙（書画皆爲逸少師）王獻之溫嶠宋則遠公（有江淮名山圖）南齊則謝惠連梁則陶弘景（弘景以羈放二牛圖謝梁武徵聘）唐則盧鴻（有草堂圖）宋則司馬光朱熹蘇軾而已

唐劉松年馬遠夏珪爲南渡四大家趙孟頫吳鎮黄公望王蒙爲元四大家高彥敬倪元鎮方方壺雖屬逸品亦卓然成家所謂諸大家者不必分門立戶而門戶自在如李唐則遠法思訓公望則近守董源彥敬則一洗宋體元鎮則首冠元人各自千秋赤幟難拔不知諸家肖子近日屬誰

能變

人物自顧陸展鄭以至僧繇道元一變也山水則大小李一變也荆關董巨又一變也李成范寬一變也劉李馬夏又一變也大癡黃鶴又一變也

鹿柴氏曰趙子昂居元代而猶守宋規沈啓南本明人而儼然元画唐王洽若預知有米氏父子而潑墨之關鑰先開王摩詰若逆料有王蒙而渲淡之衣鉢早具或創於前或守於後或前人恐後人之不善變而先自變焉或後人更恐後人之不能善守前人而堅自守焉然變者有膽不變者亦有

識

計皴

學者必須潛心畢智先功某一家皴至所學既成心手相應然後可以雜採旁收自出鑪冶陶鑄諸家自成一家後則貴於渾忘而先實貴於不雜約略計之

披麻皴　亂麻皴　芝麻皴　大斧劈

小斧劈　雲頭皴　雨點皴　彈渦皴

荷葉皴　礬頭皴　骷髏皴　鬼皮皴

解索皴　亂柴皴　牛毛皴　馬牙皴

更有披麻而雜雨點。荷葉而攙斧劈者。至某皴創自某人、某人師法於某。余已具載於山石分圖之上。茲不贅

釋名

淡墨重叠旋旋而取之曰斡。淡以銃筆橫臥惹而取之曰皴。再以水墨三四而淋之曰渲。以水墨衮同澤之曰刷。以筆直往而指之曰捽。以筆頭特下而指之曰擢。擢以筆端而注之曰點。點施於人物。亦施於苔樹。界引筆去謂之曰畫。畫施於樓閣。亦施於松針。就

縑素本色。縈拂以淡水而成。烟光全無筆墨蹤跡。曰染。露筆墨踪跡而成雲縫水痕。曰漬。瀑布用縑素本色。但以焦墨暈其傍。曰分。山凹樹隙微以淡墨滃落成氣。上下相接。曰襯。

說文曰。畫、畛也。象田畛畔也。釋名曰。畫、掛也。以彩色掛象物也。尖曰峰。平曰頂。圓曰巒。相連曰嶺。有穴曰岫。峻壁曰崕。崕間崕下曰岩。路與山通曰谷。不通曰峪。峪中有水曰溪。山夾水曰澗。山下有潭曰瀨。山間平坦曰坂。水中怒石曰磯。海外奇山曰島。山水之名

約略如此

用筆

古人云有筆有墨筆墨二字人多不曉画豈無筆墨哉但有輪廓而無皴法即謂之無筆有皴法而無輕重向背雲影明晦即謂之無墨王思善曰使筆不可反爲筆使故曰石分三面此語是筆亦是墨

凡画有用画筆之大小蠏爪者點花染筆者画蘭與竹筆者有用寫字之兎毫湖潁者羊毫雪鵝柳條者有慣倚毫尖者有專取秃筆者覘其性習各有相近未可執一

鹿柴氏曰雲林之倣關仝不用正峰乃更秀潤關仝實正峰也李伯時書法極精山谷謂其画之關紐透入書中則書亦透画中矣錢叔寶遊文太史之門日見其搦管作書而其画筆益妙夏㫤與陳嗣初王孟端相友善每於臨文見草而竹法愈超與文士薰陶實資筆力不少又歐陽文忠公用尖筆乾墨作方濶字神采秀發觀之如見其清眸豐頰進趨曅如徐文長醉後拈寫字敗筆作拭桐美

人即以筆染兩頰而丰姿絕代轉覺世間鉛粉為垢此無他蓋其筆妙也用筆至此可謂珠撒掌中神遊化外書與画均無歧致不寧惟是南朝詞人直謂文為筆沈約傳曰謝元暉善為詩任彥昇工於筆庾肩吾曰詩既若此筆又如之杜牧之曰杜詩韓筆愁來讀似倩麻姑癢處抓夫同此筆也用以作字作詩作文俱要抓着古人癢處即抓着自已癢處若將此筆作詩作文與作字画俱成一不痛不癢世界會須早斷此臂有何用哉

芥子園畫譜 卷一

用墨

李咸惜墨如金王洽潑墨瀋成畫夫學者必念惜墨潑墨四字於六法三品思過半矣

鹿柴氏曰大凡舊墨祇宜画舊紙倣舊画以其光鋩盡斂火氣全無如林逋魏野俱屬典型允宜並席若將舊墨施於新縑金牋金箋之上則翻不若新墨之光彩直射此非舊墨之不佳也實以新楮縑難以相受有如置深山有道之淳古衣冠於新貴暴富座上無不掩口胡盧臭味何能相入余故

謂舊墨畱画舊紙新墨用画新繒金楮且可任意揮灑不必過惜耳

重潤渲染

画石之法先從淡墨起可改可救漸用濃墨者爲上董源坡脚下多碎石乃画建康山勢先向筆畫邊皴起然後用淡墨破其深凹處着色不離乎此石着色要重董源小山石謂之礬頭山中有雲氣皴法要滲軟下有沙地用淡墨掃屈曲爲之再用淡墨破

夏山欲雨要帶水筆暈開山石加淡螺青於礬頭更覺秀潤○以螺青入墨或藤黃入墨画石其色亦浮潤可愛○冬景借地爲雪以薄粉暈山頭濃粉點苔○画樹不用更重榦瘦枝脆即爲寒林再用淡墨水重過加潤之則爲春樹○凡画山着色與用墨必有濃淡者以山必有雲影有影處必晦無影有日色處必明明處淡晦處濃則画成儼然雲光日影浮動于中矣○山水家画雪景多俗嘗見李營丘雪圖峰巒林屋盡以淡墨爲之而水天空闊處全用粉填亦一奇也○凡打遠山必先以香朽其勢然後以青以墨

一一染出初一層色淡後一層略深最後一層又深蓋愈遠者得雲氣愈深故色愈重也〇画橋梁及屋宇須用淡墨潤一二次無論着色與水墨不潤即淺薄〇王叔明画有全不設色只以赭石淡水潤松身略勾石廓便丰采絶倫

天地位置

凡經營下筆必留天地何謂天地有如一尺半幅之上上留天之位下留地之位中間方主意定景竊見世之初學據爾把筆塗抹滿幅看之塡塞人目已覺意阻那得取重于賞鑒之士

鹿柴氏曰徐文長論画以奇峰絶壁大水懸流怪石蒼松幽人羽客大抵以墨汁淋漓烟嵐滿紙曠若無天密如無地爲上此語似與前論未合曰文長乃瀟灑之士却于極塡塞中具極空靈之致夫曰曠若曰密如於字句之縫早逗露矣

破邪

如鄭顛仙張復陽鍾欽禮蔣三松張平山汪海雲吳小仙於屠赤水画箋中直斥之爲邪魔切不可使此

邪魔之氣繞吾筆端

去俗

筆墨間寧有穉氣毋有滯氣寧有霸氣毋有市氣滯則不生市則多俗俗尤不可侵染去俗無他法多讀書則書卷之氣上升市俗之氣下降矣學者其慎旃哉

設色

鹿柴氏曰天有雲霞爛然成錦此天之設色也地生草樹斐然有章此地之設色也人有眉目唇齒

明皓紅黑錯陳於面此人之設色也鳳擅苞鷄吐綬虎豹炳蔚其文山雉離明其象此物之設色也司馬子長援據尚書左傳國策諸書古色燦然而成史記此文章家之設色也犀首張儀變亂黑白支辭博辨口横海市舌捲蜃樓務爲鋪張此言語家之設色也夫設色而至於文章至於言語不惟有形抑且有聲矣嗟乎大而天地廣而人物麗而文章贍而言語頓成一着色世界矣豈惟畫然即淑躬處世有如所謂倪雲林淡墨山水者鮮不唾

面。鮮不噴飯矣。居今之世。抱素其安施耶。故即以画論。則研丹擄粉稱人物之精工。而淡黛輕黃。亦山水之極致。有如雲橫白練。天染朱霞。峰矗曾青。樹披翠罽。紅堆谷口。知是春深。黃落車前。定爲秋晚。胸中備四時之氣。指上奪造化之工。五色實令人目聰哉。

又曰。王維皆青綠山水。李公麟畫白描人物。初無淺絳色也。昉於董源。盛於黃公望。謂之曰吳裝。傳至文沈。遂成專尚矣。○黃公望皴倣虞山石面色善用赭石。淺淺施之。有時再以赭筆勾出大概。○王蒙多以赭石和藤黃着山水。其山頭喜蓬蓬鬆鬆画草。再以赭色勾出。時而竟不着色。只以赭石着山水中人面及松皮而已。

石青

画人物。可用滯笨之色。画山水則惟事輕清。石青只宜用所謂梅花片一種。以其形似故名。取置乳鉢中。輕輕着水乳細。不可太用力。太用力則頓成青粉矣。然即不用力。亦有此粉。但少耳。研就時傾入磁盞略加清水攪勻置少頃將上面粉者撇起謂之油子油子只可作青粉用着人衣服中間一層是好青用画正面青綠山水着底一層顏色太深用以嵌點夾葉及襯絹背是之謂頭青二青三青凡正面用青綠者其後必以青綠襯之其色方飽滿

有一種石青堅不可碎者以耳垢少許彈入便研細如泥墨多麻亦用此出岩栖幽事

石綠

研石綠亦如研石青法但綠質甚堅先宜以鐵椎擊

存之于內以損青綠之色撇法用滾水少許投入青綠內并將此碟子安滾水盆內須淺不可沒入重湯頓之其膠自盡浮於上撇去上面清水則膠淨矣是之謂出膠法若出不淨則次遭取用青綠便無光彩若用則臨時再加新膠水可也

朱砂

用箭頭者良次則芙蓉塊疋砂投乳鉢中研極細用極清膠水同清滚水傾入盞內少頃將上面黃色者撇一處曰朱標着人衣服用中間紅而且細者是好砂又撇一處用画楓葉欄楯寺觀等項最下色深而麄者人物家或用之山水中無用處也

銀朱

萬一無朱砂當以銀朱代之亦必用標朱帶黃色者水飛用之水花不入選近日銀朱多摻入小粉不堪用

珊瑚末

唐画中有一種紅色歷久不變鮮如朝日此珊瑚屑也宜和內府印色亦多用此雖不經用不可不知

雄黃

揀上號通明鷄冠黃研細水飛之法與硃砂同用画黃葉與人衣但金上忌用金箋着雄黃數月後即

成慘色矣

石黃

此種山水中不甚用古人却亦不廢妮古錄載石

用水一碗。以舊蓆片覆水碗上。置灰用炭火煅之。待石黃紅如火。取起置地上。以碗覆之。候冷細研調作松皮及紅葉用之

乳金

先以素盞稍抹膠水。將枯徹金箔。以手指（剪去指甲）蘸膠一一粘入。用第二指團團摩搨。待乾粘碟上。再將清水滴許。搨開屢乾屢解。以極細爲度。（膠水不可着多。多則浮起。不容細擂。只以濕而可粘爲候）再用清水將指上及碟上一一洗淨。俱置一碟。以微火溫之。少頃金沉。將上黑色水盡行

傾出。晒乾。碟內好金臨用時。稍稍加極清薄膠水調之。不可多。多則金黑無光。又法。將肥皂核內剝出白肉。鎔化作膠。似更輕清。

傅粉

古人率用蛤粉。法以蛤蚌殼煅過。研細水飛用之。今閩中下四府堊壁。尚多用蚌殼灰。以代石灰。猶有古人遺意。今則画家概用鉛粉矣。其製以鉛粉將手指乳細。蘸極清膠水。於碟心摩擦。待摩擦乾。又蘸極清膠水。如此十數次。則膠粉渾鎔。搓成餅子。粘碟一角

晒乾臨用時。以滾水洗下。再清清滴膠水數點撇上面者用下則拭去研粉必須手揩者。以鉛經人氣則鉛氣易耗耳。

調脂

諺云。藤黃莫入口胭脂莫上手。以胭脂上手。其色在指上經數日不散。非用醋洗不退。須用福建胭脂。以少許滾水略浸。將兩筆管如染坊絞布法絞出濃汁亦須澄出木縣之細渣滓溫水頓乾用之。

藤黃

脂番人以刀斫樹枝滴下。次年收之者其說雖與郭異然亦皆言草木花與汁也。從無蠏蛇矢之說但氣味酸有毒。蛀牙齒貼之即落。舐之舌麻。故曰莫入口耳。當揀一種如筆管者。曰筆管黃最妙。

番人画樹率以藤黃水入墨內。画枝榦便覺蒼潤。

靛花

福建者爲上近日棠邑產者亦佳以漚藍不在土坑未受土氣且少石灰故色迥異他產看靛花法須揀其質極輕而青翠中有紅頭泛出者將細絹篩攎去草屑茶匙少少滴水入乳鉢中用椎細乳乾則再加水潤則又爲擂凡靛花四兩乳之必須人力一日始浮出光彩再加清膠水洗淨杵鉢盡傾入巨盞內澄之將上面細者撇起盞底色麁而黑者當盡棄去將撇起者置烈日中一日晒乾乃妙若次日則膠宿矣凡製他色四時皆可獨靛花必俟三伏而画中亦惟

此色用處最多顏色最妙也

草綠

凡靛花六分和藤黃四分卽爲老綠靛花三分和藤黃七分卽爲嫩綠

赭石

先將赭石揀其質堅而色麗者爲妙有一種硬如鐵與爛如泥者皆不入選以小沙盆水研細如泥投以極清膠水寬寬飛之亦取上層底下所澄麁而色慘者棄之

赭黄色

藤黄中加以赭石。用染秋深樹木葉色蒼黄。自與春初之嫩葉淡黄有别。如着秋景中山腰之平坡草間之細路。亦當用此色。

老紅色

着樹葉中丹楓鮮明烏桕冷豔。則當純用硃砂。如柿栗諸夾葉。須用一種老紅色。當于銀朱中加赭石着之。

蒼綠色

初霜木葉綠欲變黄。有一種蒼老黯淡之色。當於草綠中加赭石用之。秋初之石坡土逕。亦用此色。

和墨

樹木之陰陽。山石之凹凸處。於諸色中陰處凹處。俱宜加墨。則層次分明。有遠近向背矣。若欲樹石蒼潤。諸色中盡可加以墨汁。自有一層陰森之氣。浮于丘壑間。但硃色只宜淡着。不宜和墨。

余將諸件重滯之色紛羅于前。而以赭石靛花清淨之品獨殿于後者。以見赭石靛花二種乃山水

則赭石靛花又居清虛之府藝也而進乎道矣

絹素

古画至唐初皆生絹至周昉韓幹後方以熱湯半

入粉搥如銀板故人物精彩入筆今人收唐画必

絹辨見文麁便云不是唐非也張僧繇画閻本

世所存者皆生絹南唐画皆麁絹徐熙絹或如布宋有院絹勻淨厚密有獨梭絹細密如紙濶至七八尺元絹類宋元有宓機絹亦極勻淨盍出吾禾魏塘宓家故名趙子昂盛子昭多用之明絹內府者亦珍等

宋織

古画絹淡墨色却有一種古香可愛破處必有鯽魚口連有三四絲不直裂也直裂者僞矣

礬法

絹用松江織者不在銖兩重只揀其極細如紙而無

跳絲者粘幀子（卽桿子也）之上左右三邊（其邊若緊須打濕粘不爾則扯不開矣）幀下以竹簽簽之以細繩交互纙幀（莫結死結）待上礬後扯平無凹無偏（然後打死結）如絹長七八尺則幀之中間宜上一撐棍凡粘絹必俟大乾方可上礬未乾則絹脫矣礬時排筆無使粘邊使亦絹脫矣卽候乾不使粘處因梅天吐水而絹欲脫則急以礬摻邊上又萬一使邊而有處欲脫則急以竹削鼠牙釘釘之礬法夏月每膠七錢用礬三錢冬月每膠一兩用礬三錢膠須揀極明而不作氣者近日廣膠多入麰麵

假造不堪用礬須先以冷水泡化不可投熱膠中投入便成熟礬矣凡上膠礬必須分作三次第一次須輕些第二次飽滿而淸淸上之第三次則以極淸為度膠不可太重重則色滲而畫成多迸裂之虞礬不可太重重則絹上起一層白鋪畫時滯筆着色無光彩凡畫靑綠重色畫成時宜以極輕礬水以大染筆輕輕托色上裱時方不脫落絹背襯處亦然礬時幀子宜立起排筆自左而右一筆挨一筆橫刷刷宜勻不使其漬處一條一條如屋漏痕如此細心礬成卽

不画亦屬雪淨江澄殊可締玩若画遇稍麁之絹則用水噴濕石上搥眼匾然後上幀子礬

紙片

澄心堂宋紙及宣紙舊庫疋紙楚紙皆可任意揮毫濕燥由我惟宣紙中之一種鏡面光及數揭而麁且薄之高麗紙雲南之硏金牋與近日之灰重水性多之時紙則爲紙中奴隸遇之卽作蘭竹猶屬違心也

點苔

古人画多有不點苔者苔原設以葢皴法之慢亂旣

無慢亂又何須挖肉做瘡然卽點苔亦須于着色諸件一一告竣之後如叔明之渴苔仲圭之攢苔亦自不苟也

落欵

元以前多不用欵或隱之石隙恐書不精有傷画局耳至倪雲林字法遒逸或詩尾用跋或跋後系詩交衡山行欵清整沈石田筆法灑落徐文長詩畱奇橫陳白陽題誌精卓每侵画位翻多寄趣近日俚鄙匠習宜學沒字碑爲是

煉碟

凡顏色碟子。先以米泔水溫溫煮出。再以生薑汁及醬塗底。下入火煨頓。永保不裂。

洗粉

凡画上用粉處黴黑。以口嚼苦杏仁水洗之一二遍。卽去

揩金

凡金箋金扇上。有油不可画。以大絨一塊揩之。卽受墨矣。用粉揩固去油。但終有一層粉氣。亦有用赤石脂者。終不若大絨之爲妙也。

礬金

凡金箋金起難画。及油滑膠滚画不上者。但以薄薄輕礬水刷之。卽好画矣。如好金箋画完時。亦當上以輕礬水。則付裱無迸裂粘起之患

往余侍櫟下先生。先生作近代画人傳。亦曾問道於盲。有所商榷。余退而成画董狐一書。自晉唐以迄昭代。或人系一傳。或傳列數賢。客有指爲画海者。尚剞劂有待。玆特淺說。俾

初學耳。然亦頗不惜筆舌誘掖不惟讀書之士。見而了然画理卽丹青之手。見而亦皇然讀書。客曰此有苗格也。余急掩其口。時巳未古重陽新亭客樵識